# Das kleine Buch vom Glück

Mit Fotografien
von Betina Hüß

FOTO CONCEPTS
BETINA HÜSS

Glück ist wie ein Parfüm
Man kann es nicht über
andere verteilen, ohne
selbst etwas abzubekommen.

Ralph Waldo Emerson

Ewig **glücklich**
leben kann man
nur von einem Tag
zum anderen.

Margaret Bonnano

**Glück** ist niemals ortsgebunden.
**Glück** kennt keine Jahreszeit.
**Glück** hat immer der gefunden,
welcher sich des Lebens freut.

Clemens von Brentano

Das größte Glück im Leben
ist das Wissen, dass wir
**geliebt** werden - um
unserer selbst willen - oder
besser, **trotz** unserer selbst.

Victor Hugo

glücksbringer

Es ist merkwürdig, dass das, was man für gewöhnlich Erlebnisse nennt, in meinem Leben eine so geringe Rolle spielt. Ich habe, glaube ich, auch welche. Aber sie scheinen mir gar nicht das Hauptsächlichste im Leben, sondern das, was zwischen ihnen liegt, der tägliche **Kreislauf der Tage**, das ist für mich das **Beglückende**.

Paula Modersohn-Becker

Es gibt **Glückspilze**! Die fallen zwar immer wieder mal auf die Nase, aber sie finden dabei meist noch was!

Aus Afrika

Mut
Ausdauer
Lebenskraft
gute

Vertrauen
Freundschaft
Gelingen
Stärke

Oft wollen wir nicht nur glücklich sein, sondern **glücklicher als die anderen!**

Und das ist deshalb so schwer, weil wir das Glück der anderen meist überschätzen!

Charles-Louis de Montesquieu

Bevor man etwas brennend begehrt, sollte man das Glück dessen prüfen, der es bereits hat.

François de La Rochefoucauld

Das Glück besteht
nicht darin, dass du
tun kannst, was du
willst, sondern
darin, dass du auch
wirklich **willst**,
was du tust.

Leo Tolstoi

Das Glück liegt **in uns**, nicht in den Dingen.

François de La Rochefoucauld

Das **Glück ist**
ein Zustand der
**Ruhe**, der weder
Vergnügen noch
Schmerzen
hervorbringt.

François Gaston
de Lévis

Das Glück ist
wie **die Sonne**.
Ein wenig Schatten
muss sein, wenn es
dem Menschen
wohl werden soll.

Otto Ludwig

Zu einer **friedlichen** Familie
kommt das Glück von selber.

Aus China

**Genuss** ist nur
ein Tropfen im
Cocktail des
Glücks, doch
welch **Würze**
verleiht er!

Albert Memmi

Das Glück dieser Welt besteht
darin, **nicht unglücklich** zu sein.
Man beachtet das nicht, wenn
man zwanzig Jahre alt ist, aber
man weiß es mit sechzig.

Théodore Jouffroy

Glück entsteht oft durch **Aufmerksamkeit** in kleinen Dingen.

Wilhelm Busch

**Glück**, das ist im Wesentlichen ein bisschen Gesundheit und viel schlechtes Gedächtnis.

Albert Einstein

Es gibt Regeln für das Glück:
Denn für den Klugen ist nicht
alles Zufall. Die Bemühung kann
dem Glück **auf die Sprünge** helfen.

Baltasar Gracián y Morales

Der Weg zum Glück
besteht darin, sich
**um nichts zu sorgen**,
was sich unserem
Einfluss entzieht.

Epiktet

Die höchste Form des **Glücks** ist ein Leben mit einem gewissen Grad an **Verrücktheit**.

Erasmus von Rotterdam

Das Leben kann kein
anderes Ziel haben als
das Glück der Freude.
Nur dieses Ziel - die
Freude - ist des Lebens
absolut würdig...
alles für die Freude!

Leo Tolstoi

Mach dich auf! Suche die Dinge, die dich wirklich glücklich machen. Nur **dich**! Und wenn sie noch so seltsam sind, noch so klein oder einfach. Das macht nichts. Es zählt nur, dass es **deine** Momente des **Glücks** sind, wie verrückt und unverständlich sie auch für andere sein mögen. All das, was dir gefällt, alles, was dir ein gutes Gefühl gibt, all die Dinge, von denen du dich angezogen fühlst.

Lass dir Zeit mit der Suche und vergiss nicht, sie regelmäßig **bewusst** zu wiederholen!

# Das kleine Buch vom Glück

Erschienen 2008 im Verlag

foto-concepts, Betina Hüß



Fotografie und Design: Betina Hüß

Web: www.foto-concepts.de

Mail: info@foto-concepts.de